VIOLENCIA
· EN LA ·
FAMILIA

Los libros de mamá y papá

Este libro fue elaborado por el Centro de Cooperación Regional para la Educación de Adultos en América Latina y el Caribe (CREFAL).

COORDINACIÓN GENERAL ● Juan Francisco Millán Soberanes

ESPECIALISTAS ● Hilda Elterman Zylberbaum

EQUIPO PEDAGÓGICO ● Graciela Galindo Orozco, Bernardo Lagarde y Marcela Acle Tomasini

DIRECCIÓN DE ARTE ● Rafael López Castro

COORDINACIÓN EDITORIAL ● Marta Covarrubias Newton
Y DISEÑO GRÁFICO

ILUSTRACIÓN ● María de Jesús López Castro

APOYO INSTITUCIONAL ● Lilian Álvarez Arellano, SEP ● Carlos López Díaz, SEP ● Patricia Duarte, PRONAM

D.R. © Centro de Cooperación Regional para la Educación de Adultos en América Latina y el Caribe, Pátzcuaro, Michoacán.
ISBN 968-5341-00-1
Impreso en México por la Comisión Nacional de los Libros de Texto Gratuitos
en los talleres de Offset Multicolor, S.A. de C.V.
con domicilio en Calzada de la Viga 1332,
col. El Triunfo, C.P. 09430, México, D.F.
Agosto de 2000.

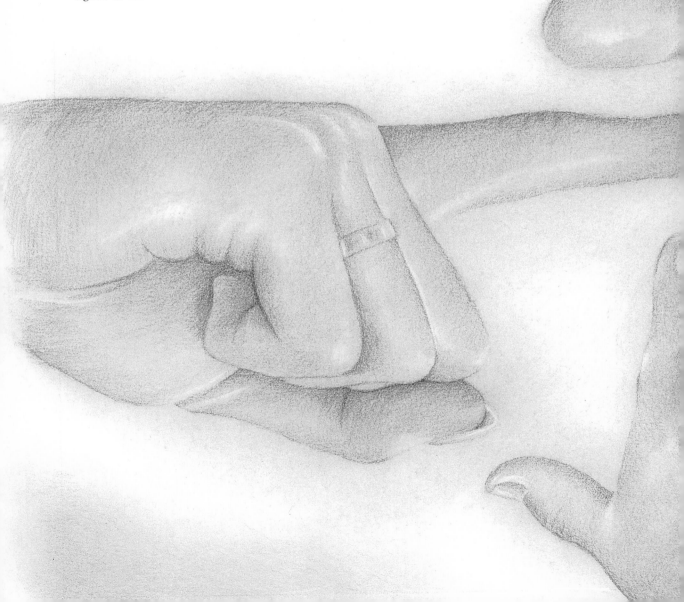

Í N D I C E

PARA EMPEZAR 4

▼1 VIDA EN FAMILIA 8

▼2 LA VIOLENCIA EN LA FAMILIA 12

▼3 LA EDUCACIÓN DE LOS MENORES 18

▼4 ESLABONES DE LA VIOLENCIA 30

▼5 TIPOS DE VIOLENCIA 38

▼ ANEXOS 60

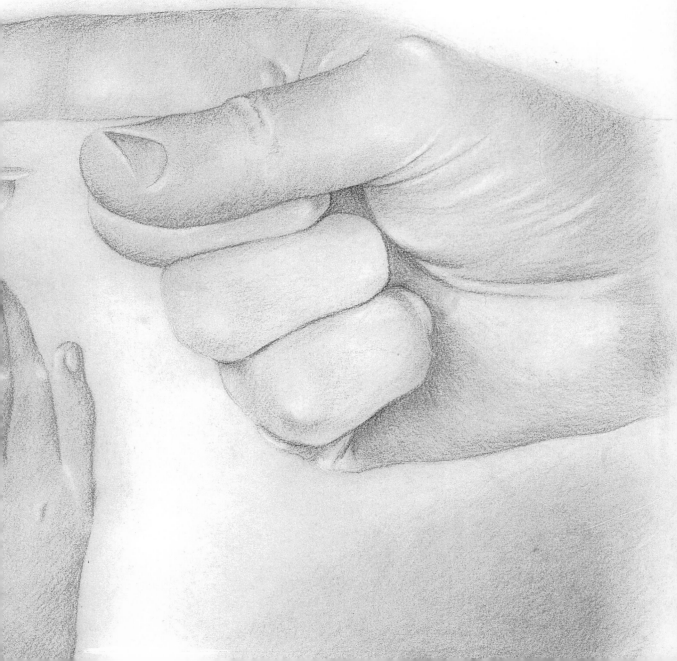

Este libro habla de ustedes y de todos nosotros en familia. Les proponemos hacer un viaje. No importa cuándo lo empiecen ni cuándo lo terminen. Es un camino cuyo inicio ustedes deciden. Les espera un recorrido lleno de descubrimientos que pueden enriquecer sus vidas.

Recordemos que nacemos dentro de una familia y por lo tanto en ella aprendemos las primeras actitudes y habilidades para vivir. Desarrollamos confianza en los demás, seguridad en nosotros mismos, y así fortalecemos nuestra autoestima. La familia que la educación busca fomentar es aquella que se finca en el amor y en el respeto entre sus miembros. La responsabilidad, la confianza, el apoyo mutuo y la consideración son algunos de los valores deseables en la formación de los niños y las niñas, y se sientan las bases para vivir conforme a esos valores cuando entre los padres existe una buena relación de afecto.

Hay muchos tipos de familia, pero en cualquiera se debe aspirar a un clima de amor necesario para vivir la vida del mejor modo posible.

Por lo general, la familia afectuosa también nos forma con valores que favorecen relaciones equitativas con los demás. Sin embargo, no en todas las familias el crecimiento y el desarrollo de los hijos se da en estas circunstancias. Lamentablemente, existen muchas familias que no viven en relaciones cordiales, respetuosas, justas y amorosas. La incapacidad de algunas personas para enfrentar sus problemas cotidianos en ocasiones las lleva a desarrollar, poco a poco, respuestas violentas.

Mamá y papá: en este libro encontrarán información acerca de la violencia familiar, ejercicios para pensar sobre su propia vida e ideas para renovar su estilo de convivencia, si lo consideran necesario. La reflexión que hagan les ayudará a comprender por qué ocurre el maltrato en la familia y en especial cómo daña a los niños y a las niñas.

¿Qué es la violencia?
¿Cómo se puede evitar? ¿Qué podemos hacer?

La violencia es un problema social que afecta diversas esferas de nuestra vida. De manera cada vez más evidente todos estamos expuestos a la violencia y todos podemos generarla en distintas formas.

La violencia no toma en cuenta diferencias de etnia, religión, edad o género, ni tampoco nivel socioeconómico. Podemos experimentarla o encontrarla en el trabajo, en la calle, en la comunidad y hasta en nuestra propia casa.

Hasta hace muy poco la sociedad empezó a dejar de ver la violencia familiar como algo natural, normal y sin remedio. Hoy sabemos que la violencia se enseña, se aprende, se legitima y desafortunadamente se repite. También sabemos que se puede prevenir y que es posible salir de un círculo de violencia.

La violencia se promueve de diferentes maneras. Un ejemplo de ello está en algunos mensajes que transmiten los medios masivos de comunicación (televisión, radio, periódicos y revistas). En muchas ocasiones, éstos presentan la violencia como una forma válida para relacionarse con los demás y para resolver problemas. Los gritos, las ofensas, las amenazas y las disputas pueden tener distintos grados de violencia.

¿Sabían ustedes que los niños que viven en hogares mal avenidos en ocasiones tienen bajas calificaciones?, ¿que es muy importante estar atentos a los comportamientos de los menores que presencian o participan en escenas violentas y que no hablan de ello, ya que esto los hace menos aptos para defenderse de hechos o personas que lesionan su autoestima y su dignidad?

El problema de la violencia es más amplio de lo que creemos y no siempre es ajeno a nosotros. Por eso, es importante pensar si en nuestra convivencia cotidiana existen situaciones de violencia que pueden manifestarse de diferentes formas, desde una mirada y un silencio con intención de herir, hasta un golpe, porque de ser así aún es tiempo de cambiar. Para comprender mejor qué es la violencia familiar, cómo nos afecta y qué podemos hacer para evitarla, los invitamos a responder con sinceridad a las preguntas que hacemos a lo largo de este libro. Sus respuestas son sólo para ustedes.

Mamá y papá: Es recomendable que comenten la lectura de este libro con sus hijos, hijas, comadres, compadres, vecinos, amigos y con sus compañeros o compañeras de trabajo. También a ellos les puede servir para entender la violencia familiar, para identificar situaciones de maltrato o abuso y evitarlas, para revisar sus actitudes y así sus valores y tomar decisiones que mejoren su convivencia con los demás.

Nuestro deseo es que en este libro encuentren ideas útiles e interesantes que les ayuden a que su vida familiar sea más grata y amorosa.

La familia educa

En la familia se tienen penas y alegrías. En ella aprendemos a comportarnos y a relacionarnos con los demás, así como maneras para enfrentar la vida y resolver problemas; por eso es tan importante para nuestra educación. Puede estar formada por el padre, la madre y sus hijos o también por un abuelo, una abuela, una tía o algún otro pariente. Hay familias en las que el padre y la madre son los encargados de sostener económica y moralmente a los demás; también hay otras en las que sólo la mujer cumple esas funciones, y otras más en las que el padre sólo se ocupa de llevar el gasto. Cada familia es única.

Las familias pasan por diferentes momentos: cuando los hijos son pequeños, cuando son adolescentes o cuando se van y forman su propia familia. Poco a poco todo cambia, una familia se transforma.

Todo el tiempo se presentan diferentes situaciones que las familias deben enfrentar. Una familia en la que todos aprenden a resolver sus conflictos de mutuo acuerdo, construye día con día un ambiente de tranquilidad, bienestar, tolerancia y seguridad que enriquece su vida.

Con frecuencia, hay familias que tienen una vida complicada y difícil porque no pueden satisfacer sus necesidades y resolver sus problemas. No hay una comunicación clara, directa y amorosa. A las personas les es difícil apoyarse y demostrarse afecto, y en muchas ocasiones terminan maltratándose y distanciándose. Esas familias tienen un problema muy grave: la violencia familiar. Ésta puede desarrollarse sin control, o resolverse si se atiende a tiempo.

Tomás es un empleado de 35 años y Mirna, su esposa, tiene 28. Después de dos años de casados tuvieron una hija que ahora va a la primaria. Actualmente ambos están irritables, se han alejado uno del otro y empiezan a hablarse a gritos. Le tienen tan poca paciencia a su hija que hasta le han llegado a pegar. Ninguno de los dos sabe cómo comentar sus preocupaciones con el otro, lo que ha venido afectando su relación y la manera como tratan a la niña.

¿Qué piensan sobre lo que les pasa a Tomás y a Mirna?
¿Por qué no se dan cuenta de que están afectando
a su hija? ¿Creen que son conscientes del daño que le
hacen? ¿Qué podrían hacer ellos para convivir mejor?

- Piensen en tres problemas que su familia haya tenido, y en cómo los solucionaron.

- Recuerden otros problemas que no pudieron solucionar. Habrá sido por:
  - mala comunicación ● deslealtad a la pareja
  - falta de apoyo ● desconfianza y miedo
  - otra causa, ¿cuál?

- ¿Cómo son las relaciones en su familia?
  - cercanas ● distantes ● cálidas
  - afectuosas ● frías ● pacíficas ● violentas

Comunicar y compartir con respeto lo que nos sucede, escuchar al otro, aceptar ideas diferentes y llegar a acuerdos, reconocer y corregir las faltas, todo esto favorece la aceptación mutua, y es el primer paso para evitar que se desencadenen situaciones de violencia.

Las niñas y los niños son indefensos, nunca hay
que humillarlos, amenazarlos o golpearlos;
hay que enseñarles límites y corregirlos con cariño.
La crueldad es abominable, y en consecuencia
tenemos que evitar caer en ella.

¿Cuándo y por qué?

La violencia en la familia no es igual a la que se presenta en la calle ni entre personas desconocidas. Ocurre en donde debería ser el lugar más seguro: nuestra propia casa. Esta violencia se ha convertido en un problema social.

La violencia familiar sucede cuando alguno de sus integrantes abusa de su autoridad, su fuerza o su poder. Maltrata a las personas más cercanas: esposa, esposo, hijos, hijas, padres, madres, ancianos, u otras personas que formen parte de la familia. Es una forma de cobardía.

Esta violencia se manifiesta en diferentes grados que pueden ir desde coscorrones, pellizcos, gritos, golpes, humillaciones, burlas, castigos y silencios, hasta abusos sexuales, violaciones, privación de la libertad y, en los casos más extremos, lesiones mortales. El maltrato se puede presentar entre los distintos integrantes de la familia, y en ningún caso se justifica.

La violencia más común es contra las mujeres, los menores, los ancianos y las personas con alguna discapacidad. El que una persona dependa económica, moral y emocionalmente de otra en ocasiones facilita que esta última abuse de su autoridad.

¿Qué opinan acerca de estas afirmaciones?

● "El del dinero soy yo y te callas" ● "Como soy muy macho, tengo derecho a decir y hacer lo que quiero" ● "Es la última vez que lo tolero, porque la próxima no respondo de mí" ● "La única manera como tú entiendes es a golpes".

Éstas son expresiones que muchas veces se acompañan de maltrato físico. Tanto hombres como mujeres podemos tener actitudes de control y dominio en la familia. Si ustedes utilizan alguna de estas expresiones, es momento de actuar para evitar la violencia.

Si bien hay que respetar y comprender el papel y las responsabilidades de quienes son los proveedores económicos de la familia, también hay que entender que no por eso tienen el derecho de ejercer violencia, ni de oprimir a los demás.

Quienes viven situaciones violentas temen al cambio y a la posibilidad de convivir en armonía porque no saben cómo lograrlo. Cada quien aprende a relacionarse con los demás. Hay personas que conviven de manera pacífica, otras son poco tolerantes y otras más se comportan en forma violenta.

En la mayoría de los casos, la violencia se presenta cuando:

- no hay conciencia del daño que se hace a los demás y en especial a los niños,
- no se comprenden los cambios físicos y emocionales por los que pasan los niños, los adolescentes, los jóvenes, los adultos y los mayores,
- existe una crisis por falta de empleo o carencias que producen preocupación,
- faltan espacios y tiempo libre para que la familia conviva y para la vida en pareja, pues ésta se dedica por completo al sostenimiento y al cuidado de sus hijas e hijos,
- hay desajustes familiares ocasionados por un nacimiento, una enfermedad, una muerte, así como por infidelidad, abandono o divorcio,
- ver mucho la televisión impide la comunicación y la convivencia.

Situaciones como éstas pueden generar violencia en la familia, independientemente de su condición económica. Afectan a todos, pero quienes más las sufren son los más indefensos que carecen de protección y apoyo de familiares y amigos.

Mamá y papá: Si aprendemos a reconocer las distintas situaciones que pueden llevarnos a ser violentos, tendremos la posibilidad de evitar el deterioro de la calidad de vida individual y familiar que nos puede llevar a problemas extremos. Todos podemos ser propensos a dar una respuesta violenta a los problemas que enfrentamos, y de nosotros depende evitarlo.

 Compartir las responsabilidades, las decisiones, respetarnos y aceptar cambios aligera la carga para todos y facilita una convivencia armoniosa.

Mario trabaja como ayudante de contador. En los últimos tiempos ha tenido presiones por parte de los amigos para que, por cualquier motivo, se vayan a festejar. Unas veces se disculpa, pero en otras piensa que tiene el derecho de irse con sus amigos y de gastarse el dinero, puesto que él mantiene a su familia.

Un día decidió no ir con sus amigos y llegó a su casa temprano. Su esposa e hijos se extrañaron.

—¿Y ahora, qué mosca te picó? —preguntó Rosaura.

—Ninguna. Quise llegar temprano y en el camino compré buñuelos y atole para cenar —respondió Mario guiñando el ojo.

—¡Mmm, qué rico! —gritaron sus hijos.

Ese día, Mario y Rosaura pasaron un rato muy agradable en familia.

¿Qué hacer para mejorar nuestras relaciones familiares?

Actuar constructivamente, comunicar lo que sentimos, lo que queremos, lo que nos gusta y lo que nos disgusta. Escuchar con atención, sin juzgar y sin gritos ni enojos. Sin olvidar que nuestros hijos e hijas, como todas las personas necesitan límites, y que a nosotros nos corresponde enseñárselos sin violencia y con amor.

Mamá y papá: piensen en cómo se llevan con sus hijos e hijas, cómo conviven ellos con los demás familiares y con sus amigos; préstenles atención cuando les platiquen algún problema o suceso de la escuela y sugiéranles diferentes maneras de buscar la solución.

Marcar límites no es lo mismo que maltratar

A los adultos corresponde la educación de los menores; hay quienes marcan límites y quienes maltratan. Aunque en algunos casos los padres deben reprender a sus hijos, es necesario entender que ese correctivo, por severo que sea, no puede nunca ser lo mismo que el abuso, que el hacer daño o maltratar por gusto. Un padre o una madre jamás deben desquitarse con su hijo o su hija, ni desahogarse con ellos de sus frustraciones. Existe una gran diferencia entre marcar límites y maltratar, así como entre ser una autoridad y ser autoritario, lo cual no siempre distinguimos.

Cuando los adultos marcan límites, se responsabilizan del bienestar de los menores y los educan con paciencia y amor, entonces se comportan como corresponde a su autoridad. Sabemos que en la educación de los niños es muy difícil enseñarles que hay límites, por ejemplo, entre lo que pueden o no hacer o decir, cuándo participar, dónde y cuándo jugar, cómo tratar a los demás y cómo exigir ser tratados. Para las niñas y los niños comprender estos límites no es fácil y es frecuente que los adultos pierdan el control y los maltraten.

De ahí la importancia de establecer límites, sabiendo que el deber de corregir surge del amor a nuestros hijos. Será más fácil hacerlo con decisión y firmeza cuando es necesario sin caer en el abuso y el trato indebido.

Gustavo tiene 12 años y vive cerca del río. Hoy el maestro le dejó de tarea hacer ejercicios de álgebra. A Gustavo le cuestan trabajo las matemáticas y no quiere hacer la tarea. Él prefiere nadar con Efraín, así que le pide permiso a su mamá para ir al río con su amigo. Ella se lo niega y le explica la importancia de que primero haga su tarea. Ante esta respuesta, Gustavo hace berrinche y se sale a la huerta. Su mamá lo sigue y lo llama, pero él no le responde. Ella le da una nalgada. Gustavo la ve con rencor y se sienta a fuerzas a hacer su tarea.

¿Por qué Gustavo no obedece a su mamá?
¿Por qué no es lo mismo una nalgada que una paliza?
¿Habrá otra manera de que su mamá lo convenza?
¿Será conveniente explicar además de corregir?

No olviden que ... Aspectos importantes de la paternidad y la maternidad se aprenden de los propios padres. Los menores observan el comportamiento de los adultos. Lo que escuchan y ven es un modelo para imitar. Viven, aprenden y con frecuencia repiten tanto los actos amorosos como los violentos. Analicemos qué les estamos enseñando.

¿Cómo tratan a sus hijas e hijos?

Piensen en cómo actúan cuando los desobedecen:

¿Los golpean, los dejan sin comer,
les dejan de hablar o los encierran en su cuarto?

Toda forma de violencia es inaceptable. El maltrato a los niños nunca se justifica y tampoco resuelve ningún problema, al contrario, lo agrava. Hay padres y madres que aprendieron que sólo así entienden los niños. Para cambiar actitudes o creencias, se requiere primero reconocer la necesidad de cambio.

Educar a los niños es ayudarlos a entender por qué pueden o no hacer algo, y entonces las preguntas son otras:

- ¿les explican por qué les dan una instrucción?,
- ¿platican sobre el sentido de lo que los diferentes miembros de la familia hacen, como estudiar, trabajar o arreglar la casa?,
- ¿les hacen ver las consecuencias de su comportamiento?

**Platicar con las hijas y con los hijos siempre ayuda.
Los golpes y los gritos siempre dañan.**

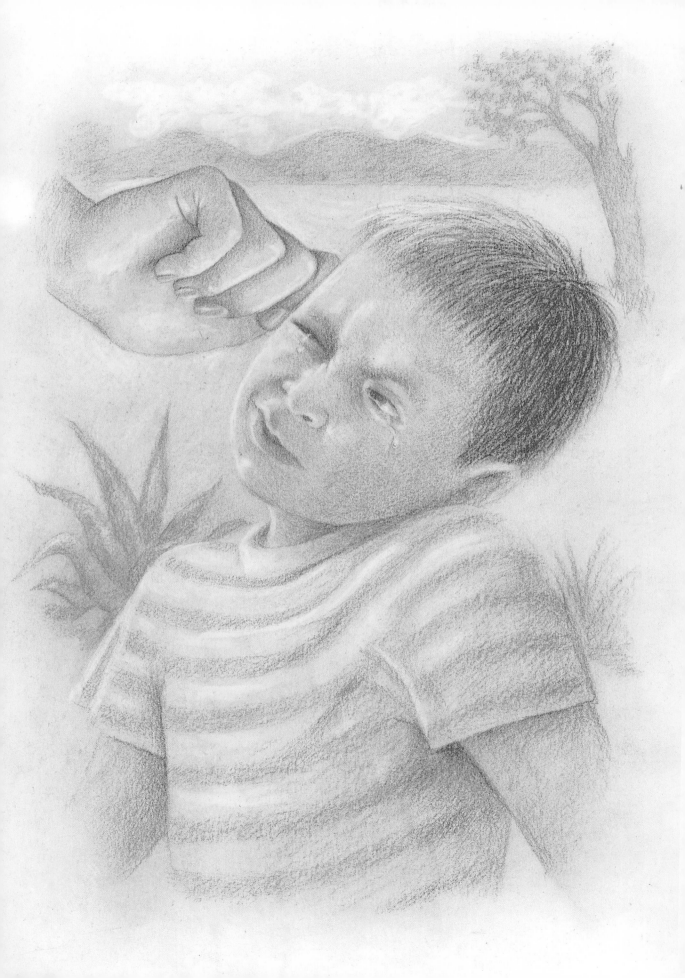

Ellas y ellos

Hay familias en las que el uso del poder autoritario y de la fuerza son recursos de los que se echa mano para cualquier situación, convirtiendo la violencia en un hecho cotidiano. Así, los niños mediante regaños, pellizcos, jalones de oreja o insultos, entre otros, aprenden a someterse ante quienes son más fuertes que ellos y a someter a quienes son más débiles.

A los hombres, comúnmente la sociedad les otorga poder sobre las mujeres y los menores y les enseña a ser violentos. Cuando provienen de familias en las que hay padres golpeadores, a veces imitan ese modelo y tienden a repetir el abuso aprendido.

No sólo los hombres son golpeadores. El maltrato a los menores puede venir por parte de ambos padres. También algunas madres o cuidadoras, a quienes tradicionalmente se les responsabiliza de formar varones duros y fuertes, así como niñas dulces y tiernas, abusan del castigo corporal y verbal. La responsabilidad de educar y cuidar, así como la opresión en que viven las mujeres con frecuencia, las puede orillar a ser maltratadoras sin quererlo y sin tener conciencia de ello.

Lo más seguro es que a estos hombres y mujeres golpeadores les faltó atención, afecto y amor en su niñez, lo cual les dejó resentimientos que no saben cómo superar y que los transforman en personas incapaces de cuidar y de compartir la vida con los demás, y de establecer relaciones respetuosas y afectuosas.

Sin llegar a ser golpeadoras, diversos motivos hacen que algunas personas adultas sean incapaces de controlarse y que con frecuencia utilicen la crueldad y el abuso como medio para corregir a los menores.

Éstas son personas que no logran alcanzar una estabilidad o madurez y a quienes se les dificulta vivir armoniosamente con su pareja y en familia. Se sienten inseguras y recurren a los gritos, los insultos o las actitudes autoritarias.

Las mujeres y los hombres golpeadores tienden a justificar la violencia como resultado de la provocación o la desobediencia de la persona maltratada. Por ejemplo, una de las causas del maltrato infantil es la frustración de los padres y de las madres ante un comportamiento de sus hijos no deseado por ellos. Cuando los adultos tienen una idea fija de lo que quieren de sus niños y éstos no cumplen sus deseos, recurren a la violencia.

Pedro es el mayor de cuatro hermanos, dos mujeres y dos hombres, y recuerda con gran tristeza la familia en la que se crió. Sus padres vivían en pelea constante; él siempre dando órdenes, exigiendo y de mal humor, ella, temerosa y obediente ante el marido, se convertía en una tirana cuando él no estaba: siempre enojada, gritando, propinando golpes y castigos por todo. No se le daba gusto con nada. En ese ambiente, Pedro y sus hermanos crecieron llenos de miedos e inseguridades. Desde niño, él soñaba con una vida sin golpes ni insultos. A los catorce años decidió irse de la casa y buscar una nueva forma de vivir.

A sus 38 años a Pedro le ha costado mucho trabajo superar su inseguridad y tener un empleo estable. Con el apoyo solidario de su pareja, está aprendiendo a relacionarse armoniosamente con ella y a tratar correcta y amorosamente a sus hijos. No quiere repetir para ellos lo que él vivió con sus padres.

Como la historia de Pedro, hay miles en todo el mundo. Niños y niñas sufren de maltrato por parte de sus padres y de sus madres, quienes abusan de su autoridad y fuerza física, sin comprender que de esta manera lo único que logran es crearles resentimientos e incapacidad de amar.

¿Conocen a alguien que tenga
una historia como la de Pedro?

¿Cómo evitar la violencia en casa?

Es importante que ustedes conozcan las actitudes y los comportamientos de cada uno de sus hijos y que distingan entre aquellos que los dañan y son difíciles de resolver, y los que se pueden corregir hablando y marcando límites claros a tiempo para no llegar a respuestas violentas. La obligación como adulto es medirse y evitar extralimitarse.

¿Qué hacen cuando se enojan?

- gritan
- golpean
- avientan objetos
- se callan
- se van

Veamos cómo se desarrolla una situación de violencia con los hijos, cuyo motivo es que ellos no responden a las expectativas de los padres, es decir, a las ideas que tenemos sobre cómo deben ser.

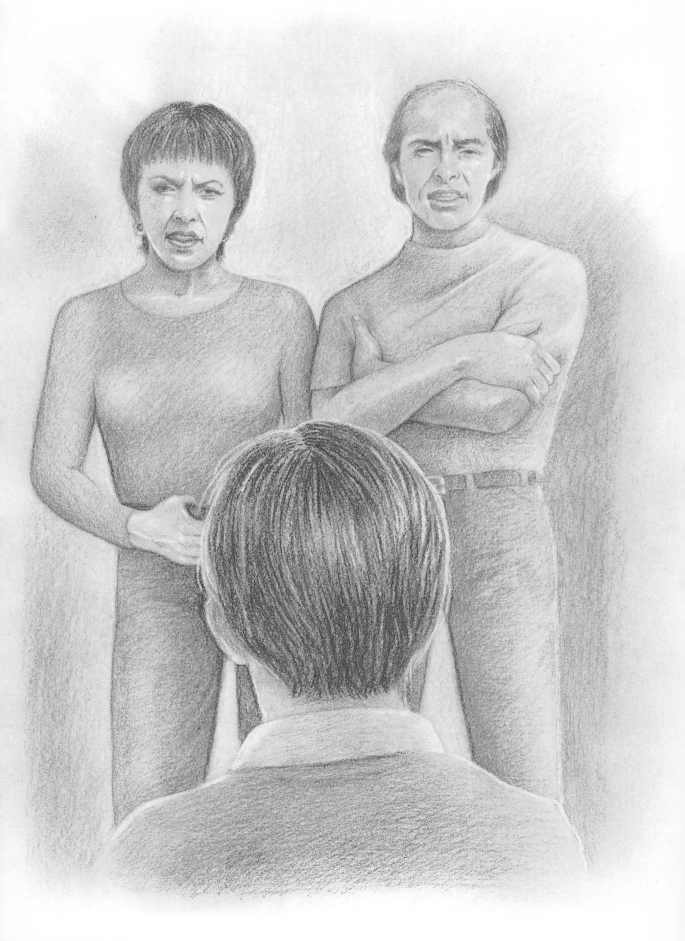

5 Renovación de las exigencias

4 Castigo a los niños y a las niñas

3 Frustración de los padres

1 Exigencias desmedidas de los padres con relación a las conductas, actitudes y logros de las hijas y de los hijos

2 Los hijos y las hijas no siempre logran cumplir con las exigencias

Después de observar el ciclo de frustración o decepción, ¿cómo creen que podrían empezar a romperlo?

Si bien es natural que como padres tengamos altas expectativas sobre nuestros hijos e hijas, debemos ser realistas de acuerdo con su edad, sus intereses y su personalidad. De lo contrario les exigiremos más de lo que ellos quieren o pueden lograr, y siempre estaremos insatisfechos.

Cada uno de nosotros se conoce bien y sabe en qué momento puede perder el control. Si aprovechamos este conocimiento podemos prevenir nuestras posibles reacciones, alejarnos en caso necesario e impedir reacciones violentas con nuestros hijos o con nuestra pareja.

Hay personas que bajo los efectos de alcohol o drogas maltratan sin control a los menores. En ocasiones llegan a provocar la muerte de sus víctimas. Afortunadamente esto no es común, pero no debe haber ni un solo caso.

Si ustedes conocen personas que maltratan a los miembros de su familia, háblenles de que existen programas de orientación y rehabilitación. De ser necesario, soliciten a las autoridades que intervengan.

El ciclo
de la violencia
en la pareja

La violencia no se genera de manera espontánea. Sucede cuando la pareja o uno de sus miembros acumula tensiones, enojos y frustraciones así como por dificultades y agresiones que se viven tanto en la familia como fuera de ella. La violencia que se vive en la calle, en el trabajo o en la escuela, se lleva a la casa. De igual manera, la violencia que se vive en el hogar se reproduce o se refleja afuera.

Poco a poco la violencia se convierte en un estilo de vida: las personas se acostumbran a ella y la viven como si fuera natural, sin darse cuenta de cómo aumenta en forma gradual.

Analicemos con ejemplos:

❶ Tensión ● En la mayoría de los casos comienza con reclamos mutuos por falta de atención, por cansancio, por problemas económicos o laborales o por frustración, y estos problemas pueden fácilmente desencadenar hechos violentos. Es necesario estar consciente y reconocer cuando este tipo de situaciones pueden estar afectando nuestra relación de pareja. Para tratar de evitar un desenlace violento lo aconsejable es tener una comunicación respetuosa en donde cada uno de los miembros de la pareja pueda hablar libremente de sus sentimientos, deseos y aspiraciones y encuentre en el otro un escucha solidario y respetuoso.

Después de violentar a la mujer, muchas veces, el hombre se siente culpable y desesperado, reacciona otra vez con gritos, insultos y humillaciones. Para defenderse, ella, cada vez más cansada por la tensión y el miedo, se refugia en ella misma.

❷ Agresión ● Una vez que se rompe el equilibrio en la armonía de la pareja, se pierde el control y se desencadena la violencia: el hombre golpea a la mujer, pues considera que le está dando una "lección". Después de lastimarla, trata de justificar lo que pasó; le echa la culpa al alcohol ingerido, al cansancio o a haber sido provocado. El golpeador no alcanza a comprender por qué no se controló, mientras que la mujer, asustada y paralizada, no se defiende ni tampoco solicita ayuda.

Por lo general, las mujeres no acaban de entender lo que les sucedió, pero se creen solas, desprotegidas y culpables. La vergüenza que sienten les impide contar lo sucedido a personas cercanas o denunciarlo ante la autoridad.

❸ Reconciliación ● Esta etapa es esperada por los dos. Después del maltrato, el golpeador se muestra arrepentido, cariñoso, tierno y amable; se da cuenta del daño que causó. Se reconoce responsable, se disculpa diciendo que perdió el control y, convencido, promete que nunca más la lastimará.

Mientras, la mujer confía en que todo va a cambiar, que nunca más va a ser maltratada y que el amor y la tranquilidad que él le muestra en ese momento es la manera en que van a vivir de ahí en adelante.

● ● ● La pareja debe aprovechar la reconciliación para platicar con calma, para detectar qué genera la tensión y, de esta manera, tratar de romper el inicio de un nuevo ciclo. También pueden decidir hablar con amigos, familiares o terapeutas que puedan aconsejarlos. De no ser así, los ciclos de violencia serán más frecuentes y la etapa de reconciliación cada vez menos estable y duradera.

La violencia no es aceptable

Los seres humanos deseamos tener relaciones cordiales. Sin embargo, a veces perdemos el control y podemos ser violentos.

La violencia más frecuente es la de los hombres hacia las mujeres y de los adultos a los menores. Es frecuente encontrar en el trato entre los niños expresiones de agresión que pueden llegar hasta la crueldad sin que el niño se dé cuenta de ello. Un deber muy importante de los padres consiste en hacer entender a sus hijos por qué estas conductas son inaceptables. El grado de violencia depende de qué tan intolerantes sean las personas y la comunidad en la que se desenvuelven.

Muchas mujeres no sólo sufren del trato violento del esposo, sino que también son maltratadas por la suegra, las cuñadas y hasta por los propios padres o por sus hijos e hijas.

No sólo las mujeres sufren violencia, también hay hombres que la padecen, ya sea golpeados, insultados, humillados o violados por otros hombres. Asimismo, hay mujeres que ejercen violencia contra los hombres, ninguna forma de violencia es aceptable.

En ocasiones escuchamos testimonios como el siguiente:

*"**Cuando** era chico me gustaba jugar con mis hermanas. Al principio mi papá sólo se burlaba de mí, "pareces vieja", "ay, sí tú", me decía. Después vinieron los regaños, los gritos y los golpes. Yo me sentía humillado sin merecerlo.*

Un domingo, mi papá me mandó a jugar con los chavos de la calle para que me hiciera hombre, según él. El partido acabó en pleito y yo llegué a casa con un ojo morado. Él se puso furioso y me dijo que debía aprender a pegar y a defenderme. Nunca entendí su manera de resolver las cosas a punta de gritos y golpes.

Creo que las mujeres no son las únicas que padecen la violencia, nosotros también la sufrimos sin que podamos decir nada porque muchas personas piensan que un hombre debe ser violento "para ser un hombre verdadero y muy macho".

Es frecuente que las personas que sufren violencia no se valoren, ya que desde pequeñas han sido golpeadas, maltratadas o humilladas tanto por personas de su propia familia como por otras ajenas. Esas personas no han sido respetadas y por lo tanto no se sienten merecedoras de respeto, y una vez que inician cualquier relación permiten que el otro o la otra controle lo que piensan, sienten, hacen o dicen, y que los maltraten.

¿Creen que se puede romper un ciclo de violencia? Cuando empiezan a sentir mucha tensión, ¿está en sus manos evitar la violencia? ¿Cómo? Si en alguna ocasión intentaron defenderse de la violencia, ¿qué hicieron y cuál fue el resultado?

¿Alguno de ustedes ha sido maltratado? ¿Cuál fue la causa? ¿Qué tipo de maltrato han sufrido: golpes, insultos, heridas, otros? ¿Recuerdan cómo se sintieron después del maltrato? ¿Alguno de ustedes ha maltratado a alguien? ¿Cómo se sintió después de haberlo hecho? ¿Lo pudo haber evitado?

¿Alguno de ustedes reprende a sus hijos con violencia? ¿Creen que lo podrían hacer de otra manera?

No olviden que... La libertad y el respeto por uno mismo se basan en la aceptación y en la seguridad que tengamos como actitud ante la vida. Esta actitud no es espontánea, hay que construirla día con día en nosotros mismos, en nuestros hijos e hijas, en el trabajo, en la escuela y en la comunidad.

Sólo así nuestros hijos podrán ser libres para expresar sus necesidades, emociones y expectativas clara y respetuosamente, sin temor a ser criticados o maltratados. Y de ser tratados mal, sabrán cómo reaccionar para defenderse, sin recurrir a la violencia.

¿Por qué no intentar esta forma de relacionarnos y crear en el hogar un ambiente de respeto y buen trato que evite la violencia?

VIOLENCIA *física*

Es el daño corporal que le hacemos a alguien más débil que nosotros. Puede ser de hombre a mujer, de hombre a hombre, de mujer a hombre o de cualquiera de los dos a un menor, a un anciano o anciana o a personas con alguna discapacidad.

Esta violencia se caracteriza por lastimar cualquier parte del cuerpo de una persona con las manos, los pies o con objetos.

Algunas madres golpean a sus hijos apoyadas en la autoridad paterna. Suelen acusarlos con el padre diciendo: "tu hijo no me obedece" o "ya es tiempo de que le des un castigo ejemplar". Asimismo, en muchas ocasiones los padres golpeadores maltratan a sus hijas o hijos con el respaldo de las madres, o sin él. Estos padres constantemente les dan golpes, manazos, bofetadas, coscorrones o pellizcos a sus hijos.

Los menores se asustan, guardan resentimiento hacia sus padres, se vuelven inseguros y pueden aprender a ser violentos.

No reaccionen por impulsos. Deténganse y piensen en el daño que pueden ocasionar con una reacción violenta, con palabras ofensivas o con golpes.

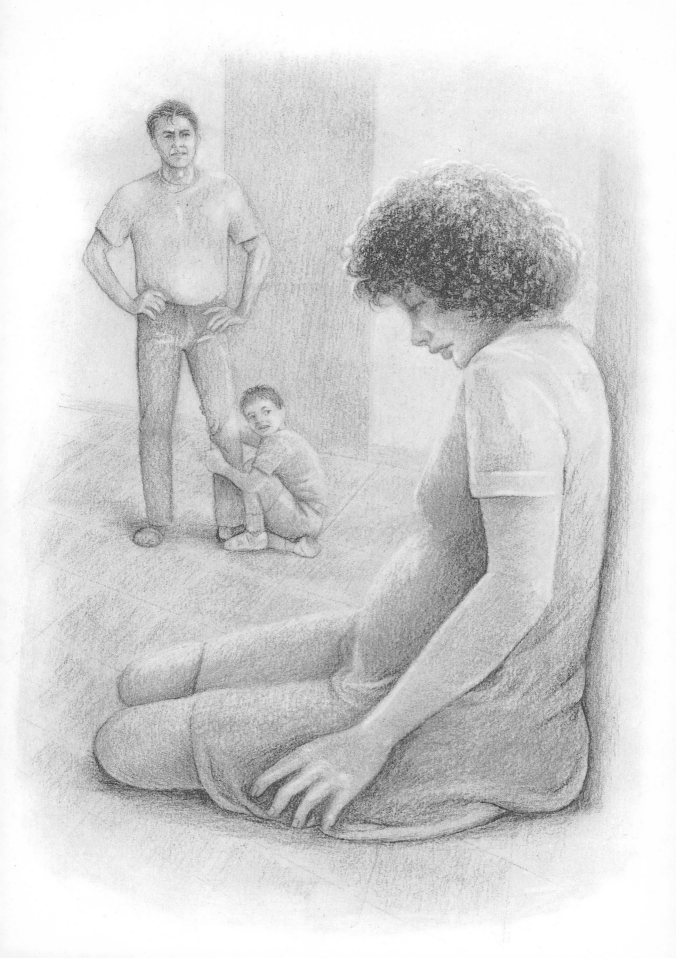

VIOLENCIA emocional

La violencia emocional no se percibe tan fácilmente como la física, pero también lastima. Consiste en enviar mensajes y gestos o manifestar actitudes de rechazo. La intención es humillar, avergonzar, hacer sentir insegura y mal a una persona, deteriorando su imagen y su propio valor, con lo que se daña su estado de ánimo, se disminuye su capacidad para tomar decisiones y para vivir su vida con gusto y desempeñar sus quehaceres diarios.

La violencia verbal tiene lugar cuando mediante el uso de la palabra se hace sentir a una persona que no hace nada bien, se le ridiculiza, insulta, humilla y amenaza en la intimidad o ante familiares, amigos o desconocidos.

La violencia no verbal es aquella que se manifiesta en actitudes corporales de agresión como miradas de desprecio, muestras de rechazo, indiferencia, silencios y gestos insultantes para descalificar a la persona.

Yolanda es una madre que vive en una relación de respeto y amor con su familia. Ella se siente incómoda cada vez que visita a su comadre Cristina. Hace poco se preguntó qué le pasaba cuando iba a casa de su comadre. Tenía cierto malestar que no podía explicarse, hasta que encontró la razón. Resulta que su compadre Ramiro no le contesta a su comadre cuando ésta le habla, además se burla de ella a la primera oportunidad frente a familiares y amigos. Su comadre Cristina casi nunca tiene ganas de nada y, generalmente, cuando Yolanda le propone que lleven al ahijado al parque, se niega con cualquier pretexto.

El comportamiento de Cristina se debe a la violencia emocional con que vive. ¿Creen ustedes que Yolanda podría ayudar a Cristina a resolver esta situación?

Otra forma de comportamiento que sin ser violenta puede causar daño es el caso de la sobreprotección y el excesivo consentimiento, pues la confundimos con cariño y afecto.

Sobreprotegemos a nuestros hijos e hijas cuando les queremos resolver todos y cada uno de sus problemas, cuando no confiamos en ellos, cuando les decimos qué hacer y cómo hacerlo sin dar lugar a sus iniciativas personales, cuando no dejamos que se equivoquen y aprendan de sus propios errores, cuando no permitimos que se separen de nosotros ni un momento por temor a que les pase algo.

La sobreprotección y el excesivo consentimiento puede hacer a las personas dependientes, inseguras, irresponsables y en consecuencia incapaces de resolver sus vidas por sí mismas.

Piensen y reflexionen
Cuándo y a quién se dirigen con:

- insultos • apodos humillantes
- burlas o ironías
- críticas constantes y descalificaciones
- amenazas y gritos

¿Han vivido alguna vez con violencia emocional?
¿Cómo les gustaría ser tratados?

No olviden que...

Una pareja que en lugar de utilizar el silencio y el rechazo, se respeta, se apoya y dialoga para llegar a acuerdos, enfrenta mejor las dificultades y prepara a sus hijos para una vida familiar sana.

VIOLENCIA sexual

La violencia sexual ocurre cuando se obliga a una persona a tener cualquier tipo de contacto sexual contra su voluntad; cuando se le hace participar en actividades sexuales con las que no está de acuerdo y no se toman en cuenta sus deseos, opiniones ni sentimientos. Se daña física y emocionalmente a la persona.

La violencia sexual se puede presentar como acoso, abuso sexual, violación o incesto.

El acoso es la persecución insistente de alguien en contra de su voluntad y que frecuentemente está en desventaja. El acosador busca someterlo a sus deseos sexuales.

Laura fue víctima de acoso. Su jefe la invitó un día a tomar un café, ella se negó, pues le dijo que iba a su entrenamiento. Él volvió a insistir. Le hablaba por teléfono todos los días y cuando ella contestaba, él colgaba. La seguía mientras Laura caminaba a tomar el camión. Le proponía que saliera con él, le decía que le gustaba mucho, que la deseaba, que tenía ganas de tener relaciones sexuales con ella.

A medida que pasó el tiempo y Laura se negaba a salir, él la presionaba con mayor insistencia. Ella comenzó a deprimirse, a sentirse insegura y espiada, a no comer y a perder su entusiasmo. Laura estaba sufriendo de acoso. Todo esto ocurrió durante dos meses. Un día, cuando ya no soportó más, comentó con su familia lo que le pasaba y gracias a su ayuda pudo contar con apoyo y resolver el problema.

Si usted sufre de acoso, ¿ha buscado la ayuda de su familia, de una amiga, un amigo o de alguna otra persona?

El abuso sexual consiste en tocar y acariciar el cuerpo de otra persona contra su voluntad, así como en la exhibición de los genitales y en la exigencia a la víctima de que satisfaga sexualmente al abusador. Se puede dar de manera repetitiva y durar mucho tiempo antes de que el abusador, quien se vale de su poder y autoridad para llevarlo a cabo, sea descubierto. Dada la posición de autoridad de los adultos, el abuso sexual hacia los menores es mucho más frecuente de lo que se piensa.

Este tipo de violencia es inadmisible y se puede dar en todos lados incluso en la casa, en la escuela, en el trabajo o en la calle. Los agresores sexuales puede ser supuestos amigos, vecinos, familiares lejanos o cercanos y llegan a ocurrir casos en los que los agresores son el padrastro o la madrastra, incluso el padre o la madre.

La violación es un acto de extrema violencia física y emocional. Consiste en la penetración con el pene, los dedos o cualquier objeto en la vagina, el ano o la boca en contra de la voluntad de la víctima, quien es amenazada para mantener la violación en secreto. A veces se usan armas. Es un hecho gravísimo e inadmisible que envilece a quien lo ejerce.

Por lo regular, las personas que sufren violencia sexual no cuentan a nadie lo que les sucede. Esto se debe a que se sienten amenazadas o erróneamente culpables de lo que les pasa. Cuando la violación es cometida por un familiar cercano, la víctima se encierra todavía más en sí misma, debido a que su lealtad a la unión familiar le impide decirlo, pues teme que, al enterarse, la familia se separe. En los menores, los ancianos y las personas con alguna discapacidad el asunto es más grave, ya que cuando se atreven a denunciar el acto se les acusa de fantasiosos o mentirosos y de querer dañar al agresor. Por si fuera poco, estas víctimas viven amenazadas y en un constante estado de terror. Es frecuente que escuchen expresiones como: "si lo cuentas, te mato", "van a creer que estás loca o loco", "tu mamá se va a morir", "nadie te va a creer".

Sabían ustedes que... La violencia sexual se utiliza para controlar y dominar. Trastorna la vida de quien la sufre y denigra a quien la ejerce. La persona queda sometida por el violador —quien, generalmente, es alguien cercano—. Una persona que ha sufrido violación sexual por lo regular vive atemorizada, se aísla, evita ser acariciada o tocada, tiene pesadillas y pierde la alegría.

En los menores también se presentan características físicas, el enrojecimiento, la irritación, el ardor o la infección en los genitales y en el ano pueden ser avisos para los padres, o cuidadores, de que son víctimas de violencia sexual.

La mayoría de las víctimas de violencia sexual piensan que por ello valen menos. Se sienten culpables, sucias y tienen serias dificultades para llevar una vida tranquila. Es recomendable que tengan apoyo de especialistas en terapia para que lo superen.

El incesto es el contacto sexual entre familiares con algún tipo de parentesco, ya sea civil o consanguíneo. Esta relación puede ocurrir con o sin el consentimiento de una de las personas; los actos sexuales frecuentemente se presentan con acoso, con violencia física e incluso con violación. Es conveniente hablar con los hijos para evitar que sean presas fáciles.

Valeria era una niña muy alegre y juguetona. Sin embargo, últimamente ha estado muy triste, se ha aislado y no ha querido jugar en la escuela. No soporta que nadie la abrace o la toque. Sólo Valeria sabe lo que le pasa.

Su hermano Gerardo que va en la prepa la molesta, la espía cuando se baña, la toca si pasa junto a él y cuantas veces puede se mete a su cuarto y le hace caricias que ella no quiere. Valeria sabe que no está bien lo que su hermano hace, pero tiene miedo de que sus papás no le crean, por eso no les dice nada.

Cuando Valeria cuente todo a sus papás,
¿qué deberán hacer ellos?

Ante la mínima sospecha de que su hijo o hija ha sido víctima de abuso sexual, es importante brindarle ayuda inmediata.

Procuren dar seguridad al menor para que se exprese libremente y sin temor de que su agresor tome represalias, haciéndole saber que cuenta con su apoyo y amor incondicionales.

No olviden que...

Es importante enseñar a los niños y a las niñas que sus cuerpos les pertenecen y que nadie, por muy cercano que sea, debe tocarlos de manera que los haga sentir incómodos. Ganemos su confianza para que ellas y ellos puedan hablar con nosotros sobre todo lo que les pase.

Hay que creer en lo que los menores nos dicen.

Podemos hacerles saber que nosotros creemos en ellos y en ellas y que hagan lo que hagan, aunque les dé vergüenza, nos lo platiquen. Escucharlos es ayudarlos.

Recuerden que...

Es derecho de toda persona decidir cuándo, cómo y con quién tener relaciones sexuales. A los menores la ley los protege especialmente. Si usted o sus hijos sufren violencia sexual, denúnciela. Hay grupos e instituciones que pueden apoyarlos.

Como en muchos casos, lo mejor es prevenir. Aquí, prevenir es construir una relación de afecto, de comunicación y de confianza con la pareja y con los hijos.

¿Qué podemos hacer ante situaciones de violencia familiar?

- **Revisar si las formas** de tratarnos que vemos como normales son o no violentas. Por ejemplo, cuando para corregir a nuestros hijos e hijas les gritamos o los golpeamos; o cuando nos enojamos con la pareja y nos burlamos de ella o le dejamos de hablar.

- **Cambiar** de manera que nos relacionemos mejor con los niños o con nuestra pareja.

- **Platiquemos** entre todos y tomemos nuevos acuerdos.
  ¿Se reconoce usted como una persona violenta? Si su respuesta es afirmativa, le presentamos algunas sugerencias para desactivar el círculo de violencia:

  - Reflexione antes de actuar, esto siempre ayuda.

  - Controle sus impulsos. Retírese y salga a caminar, busque un lugar que le proporcione tranquilidad o respire hondo y cuente hasta diez antes de reaccionar. Lo primero es tranquilizarse.

  - Siempre prefiera el diálogo a los golpes. Recuerde usar palabras que no sean ofensivas.

  - Practique algún ejercicio fuerte que le permita eliminar la tensión sanamente y relajarse.

  - Piense: la violencia se aprende, pero usted también puede aprender otras formas de relacionarse cuando reflexione muy seriamente sobre el daño que hace la violencia a usted y a los demás y sus consecuencias.

Si la violencia ha llegado a un punto en que ya no nos es posible detenerla así, entonces necesitamos:

- **Reconocer el hecho,** no paralizarnos ni avergonzarnos y no callarlo, pedir ayuda y denunciarlo. Acudir a un centro especializado en atención a la violencia familiar.

- **Participar en programas** educativos dirigidos a superar las conductas violentas.

- **Formar grupos** de autoayuda con vecinas, vecinos, amistades, compañeros de trabajo y familiares que sufran violencia.

- **Conocer las iniciativas de ley** en favor de la prevención de la violencia familiar que se van elaborando en todos los estados, las cuales consideran las bases y los procedimientos para la defensa de quienes sufren violencia, y apoyar y demandar que se mejoren continuamente.

Si sus hijos sufren o son testigos de actos violentos, ello afecta su comportamiento y su aprendizaje, se vuelven huraños, miedosos y desconfiados y esto les dificulta hacer amigos. Es importante que ustedes hablen con su maestro o maestra para que juntos busquen la manera de apoyarlos.

Si usted mismo ha intentado frenar sus actos de violencia y no ha podido, busque ayuda. Siempre es posible el cambio.

Para no recurrir a la violencia

Toda persona tiene la necesidad de responder a las situaciones que la vida le presenta. Los padres, en particular, tienen la responsabilidad de guiar a sus hijos y de encaminarlos. Aunque, como ya se dijo, esta responsabilidad implica el ser capaz de poner límites a su conducta y corregir, los padres deben y pueden hacer un esfuerzo para cumplir con su responsabilidad de conducir a sus hijos por la vida sin lastimarlos.

Las familias comúnmente tienen:

❶ Necesidad de un ambiente familiar de comunicación, afecto y apoyo

Todas las personas esperan tener en su familia una fuente de apoyo incondicional y un clima de confianza y cariño donde desenvolverse. Sin embargo, el hogar no debe ser el sitio en el cual los adultos desquiten su propio malestar en lugar de brindar la seguridad y el afecto que los hijos y la pareja necesitan. La comunicación, la honestidad, el tratar de dar soluciones a los problemas que aquejan a la familia, y el saber compartir momentos agradables, ayuda a que la vida familiar cumpla con su cometido, además de que previene la violencia.

❷ Necesidad de un grupo social de apoyo

Toda familia necesita ir más allá de las relaciones entre sus miembros y establecer lazos de amistad, de afecto y de solidaridad con un grupo más o menos amplio de personas. Mantener un grupo de relaciones vivo y amplio ayuda a prevenir la violencia intrafamiliar y nutre la vida personal de los integrantes de la familia.

❸ Necesidad de cambio en las conductas de la pareja o de los hijos

Es evidente que en la vida familiar muchas veces es necesario solicitar un cambio en la conducta. A la pareja no se le puede pedir cambiar con amenazas ni advertencias, sino de común acuerdo y con respeto mutuo. La necesidad de hacer advertencias a los hijos no debe dar pie a que se les amenace, pues aquéllas deben ser cumplidas si han de ser formativas. Jamás se debe golpear, retirar el afecto, ni insultar o humillar a los niños. De lo que se trata es de que ellos sepan que las reglas que ponen sus padres deben tomarse en serio, y que a sus papás les interesa su bienestar. Así se les inculca confianza y seguridad.

❹ Necesidad de mantener la casa y hacer que funcione

El trabajo doméstico y la manutención económica absorben la mayor parte de las energías y del tiempo de los adultos a cargo del hogar. Al tener conciencia de las cargas que estas labores implican, y de la necesidad de distribuirlas lo más equitativamente posible, se evita buena parte de los conflictos intrafamiliares que pueden transformarse en abusos o en un modo de vida desgastante para alguno de los miembros, lo que necesariamente repercute en todos. Es conveniente que los hijos vayan tomando algunas responsabilidades, de acuerdo con su edad, y procurar que las tareas se repartan por igual entre las hijas y los hijos.

Por otra parte, es conveniente decidir conjuntamente con la pareja cómo utilizar el ingreso familiar para satisfacer las distintas necesidades de los miembros de la familia, teniendo una visión clara y compartida de lo que es esencial y de lo que es secundario.

❺ Necesidad de saber manejar las situaciones conflictivas

En toda familia, como parte natural de su desarrollo, surgen conflictos originados tanto en procesos de desarrollo personal y situaciones que enfrenta cada quien, como en los procesos y situaciones de la familia en grupo. El conflicto puede manejarse pacíficamente desde su surgimiento si se entiende que éste es natural y se buscan las maneras razonables y viables de solucionarlo lo más pronto posible. La violencia nunca es la solución.

Cuando no se responde a los conflictos más que de manera violenta, éstos crecen y se multiplican. Es necesario atenderlos de manera inmediata.

En la medida en que los miembros de una familia se relacionen con base en el respeto, la igualdad, la confianza y el afecto, y sean capaces de valorar la maravilla que significa tener gente cercana a quién cuidar y por quién ser cuidado, con quién compartir la vida y explorarla, a quién querer sin condiciones, el problema de la violencia será manejable y no desbordará los límites de la dignidad humana, asegurando así que el sentido de las relaciones entre las personas no se pierda.

Una familia afectuosa, además de ser uno de los mayores bienes a que se puede aspirar en la vida, abre a los niños y a las niñas mayores posibilidades de convertirse en personas amorosas y felices, y en ciudadanos de bien.

La paz es asunto de todos

Hay que reconocer que no sólo sufrimos tratos violentos sino que también podemos ser en ocasiones cómplices. Ejercemos la violencia o la dejamos existir cuando, por ejemplo:

- maltratamos a otras personas,
- observamos que alguien maltrata a otra persona y no intervenimos para evitarlo,
- vemos, oímos o leemos con nuestros hijos e hijas películas, programas de televisión, radio, historietas o periódicos en los que se hace lujo de violencia y no lo discutimos ni lo rechazamos,
- somos observadores gozosos de espectáculos violentos o denigrantes,
- no hacemos nada en nuestras casas por construir un ambiente de respeto a los derechos de las personas y de rechazo a los malos tratos.

Para empezar a cambiar hay que ver la violencia como tal y llamarla por su nombre y rechazarla por principio.

Si vivimos en un ambiente de respeto y buen trato y si en éste criamos y educamos a las niñas y a los niños, seguramente podrán llegar a ser adultos respetuosos. Nuestro reto es superar la violencia al desarrollar relaciones basadas en el amor. La paz se construye con base en la igualdad, el respeto y la aceptación de los demás.

Sabemos que la violencia es la peor manera de relacionarse y que se puede evitar.

¿Por qué abusar del otro? ¿Por qué permitir que otros abusen de nosotros? ¿Cómo educar a nuestros hijos?

En nosotros está la decisión de vivir en paz, con comprensión y afecto.

Las niñas y los niños tienen derechos:

"Es nuestro derecho que nadie lastime nuestro cuerpo ni nuestros sentimientos"

Artículos 5, 9 y 34 de la Convención sobre los Derechos del Niño aprobada por la Asamblea General de las Naciones Unidas, en noviembre de 1989.

Sugerencias para
la protección
de personas maltratadas

Puesto que el grupo de población más afectado por la violencia lo conforman las mujeres, las niñas, los niños y las personas con discapacidad, consideramos útil incluir las siguientes sugerencias.

Si usted se reconoce como una persona maltratada, tiene que tomar medidas para su propia seguridad y la de quienes le rodean.

Si no tiene a quién recurrir cuando se inicia un episodio de violencia, haga lo siguiente:

- retírese o aléjese antes de que la situación empeore,

- vaya a un lugar seguro, ya sea fuera o dentro de su casa,

- manténgase el mayor tiempo posible fuera del alcance del agresor, lo que le ayudará a calmarse y a pensar en qué hacer,

- grite para llamar la atención de las personas que estén próximas.

Si la situación se presenta dentro de la casa, considere las siguientes sugerencias, en caso de que haya agotado las posibilidades de diálogo:

- guarde dinero en un lugar seguro,

- tenga un juego extra de llaves a la mano,

- acuerde una clave de comunicación con familiares o amistades de confianza,

- alerte a una vecina o a un vecino para llamar a la policía en caso de que se inicie alguna escena violenta,

- deshágase de todas las armas que haya en la casa,

- tenga siempre disponible:

    - papeles oficiales como actas de nacimiento, de matrimonio, credencial de elector, etcétera,

    - números telefónicos importantes,

    - una bolsa con ropa extra.

Recuerde que cuenta con el apoyo de las autoridades gubernamentales y de algunas organizaciones civiles que han comenzado a actuar para prevenir y ayudar a las víctimas de la violencia familiar.

Vivir con una persona violenta no es fácil. Nuestros esfuerzos por resolver los problemas y establecer un diálogo para vivir en paz y armonía, valen la pena, pero tienen un límite. No permitamos que nadie nos destruya.

¿Qué debemos exigir al
denunciar
actos de violencia?

Existen instituciones nacionales e internacionales preocupadas por el bienestar de la familia, de la mujer, de las niñas y de los niños. Ellas recomiendan lo siguiente:

QUÉ DEBEN EXIGIR	NO PERMITAN QUE	RECOMENDACIONES
En violencia familiar • Que se levante el acta por el delito de violencia familiar.	• Se levante el acta sólo por lesiones, tiene que ser por violencia familiar. • Ignoren su caso y por lo tanto no se levante el acta. • Los regresen a su casa sin haberlos atendido.	• Si por levantar la denuncia, el agresor aumenta la violencia en su contra, soliciten orientación en los teléfonos que aparecen al final del libro.
En violación sexual • Que se levante un acta por el delito de violación, apoyada en una revisión médica.	• El ministerio público manifieste duda sobre la veracidad de su testimonio. • Se levante acta y no se le dé seguimiento. • Les hagan una revisión médica irrespetuosa. • Los desacrediten frente a propios y extraños por haber denunciado una violación.	• No caigan en actos de corrupción por creer que así se mejorará el proceso legal. • Eviten que el cansancio y el desaliento, causados por los largos trámites legales, les impidan concluir su proceso. • Si sienten que no pueden continuar, llamen a los teléfonos que aparecen al final del libro. • Denuncien toda agresión, acoso o abuso sexual.
En abuso sexual a infantes • Que se levante el acta por abuso sexual o violación al niño o a la niña y que se respeten sus derechos.	• Sólo se levante el acta si el menor está acompañado de un adulto, ya que su derecho es poder hacerlo sin acompañantes. • Duden del relato del menor con el pretexto de que es niño o niña y lo inventa todo.	• No se sientan mal o culpables por denunciar el abuso de un familiar o conocido. • Cuando sientan mucho miedo o angustia a causa de la denuncia, acudan a alguien de su confianza o llamen a los teléfonos que aparecen al final del libro.

En todos los casos es necesario denunciar al agresor para evitar que el abuso continúe.

Si tienen dudas

Algunas dependencias y organizaciones civiles han abierto una línea telefónica para orientarlos en el manejo de situaciones delicadas de violencia. También hay centros especializados en la atención a mujeres, niñas y niños víctimas de maltrato.

En el siguiente listado encontrarán los teléfonos a los que pueden dirigirse para solicitar orientación profesional o información.

AGUASCALIENTES
DIF Estatal (01 49) 3 32 63

BAJA CALIFORNIA
DIF Estatal (65) 53 83 42

BAJA CALIFORNIA SUR
DIF Estatal (112) 2 51 67

CAMPECHE
DIF Estatal (9) 812 68 68 y 811 40 40

COAHUILA
DIF Estatal (8) 417 46 22

COLIMA
Centro de apoyo a la mujer Griselda Álvarez, A.C. (331) 295 99
DIF Estatal (3) 330 20 12

CHIAPAS
DIF Estatal (9) 614 19 64
San Cristóbal de las Casas, Chis.

CHIHUAHUA
DIF Estatal (14) 10 04 74

DISTRITO FEDERAL
Centro de asesoría psicológica y empresarial, A.C. 5567 6330
Despacho de atención legal para mujeres 5574 78 50 y 5574 62 15
Servicio, Desarrollo y Paz, A.C. (SEDEPAC) 5584 1578 y 5574 0892
Asociación mexicana contra la violencia, A.C. (COVAC) 5625 71 20 y 5276 0085
Centro de atención a la violencia intrafamiliar (CAVI) 5242 62 46 y 5242 60 25
Centro de terapia de apoyo a víctimas de delitos sexuales de la PGJDF (CTA) 5625 9632 y 5625 9633
Unidad de atención a la violencia intrafamiliar Venustiano Carranza 5552 7316
Programa para la participación equitativa de la mujer en el D.F. 5745 4540
LOCATEL línea Mujer y de Joven a Joven 5658 1111
Fundación para la atención a víctimas de delito y abuso de poder (FAVI) 5611 4087 y 5598 3763

DURANGO
DIF Estatal (18) 10 3868

ESTADO DE MÉXICO
DIF Estatal (72) 17 6075
PLAV Toluca (72) 15 0027 y 14 9897
PLAV Naucalpan 5358 3132 y 5560 5441
PLAV Chalco (597) 300 59 y 301 25
PLAV Ecatepec 5882 1911 y 5882 1913
PLAV Cuautitlán Izcalli 5873 2110 y 5871 3302
PLAV Chimalhuacán 5852 3280
PLAV Tlanepantla 5390 0355
PLAV Tlanepantla, DIF 5565 2266
PLAV Nezahualcóyotl, DIF 5732 9758

GUANAJUATO
DIF Estatal (4) 732 4791 (conmutador)

HIDALGO
DIF Estatal (771) 527 45

JALISCO
DIF Estatal (3) 819 0800

MICHOACÁN
DIF Estatal (43) 138 099

MORELOS
DIF Estatal (73) 15 51 68 y 15 18 15

NAYARIT
DIF Estatal (32) 11 50 33

NUEVO LEÓN
DIF Estatal (8) 190 6969 190 6980

OAXACA
DIF Estatal (01951) 666 12

PUEBLA
DIF Estatal (22) 29 52 29, 29 52 13 y 70 02 51

QUERÉTARO
DIF Estatal (42) 24 29 43

QUINTANA ROO
DIF Estatal (983) 233 88

SAN LUIS POTOSÍ
DIF Estatal (48) 17 62 11, 17 78 95 y 11 20 50

SINALOA
DIF Estatal (67) 13 11 09

SONORA
DIF Estatal (62) 15 03 51

TABASCO
DIF Estatal (93) 51 09 42, 51 09 00 y 51 10 01

TAMAULIPAS
DIF Estatal (131) 241 46 y 280 80

TLAXCALA
DIF Estatal (246) 278 25, 224 89 y 256 86

VERACRUZ
DIF Estatal (28) 15 13 91, 15 63 91, 15 48 71

   y 40 00 44

YUCATÁN
DIF Estatal (99) 27 06 13, 27 06 66, 26 50 85,

   27 27 89 y 27 12 83

ZACATECAS
DIF Estatal (492) 220 73, 273 62, 422 58 y 237 59

DIF NACIONAL
5601 2222